Vol sur le Nil

Premières lectures

* Je commence à lire tout seul.
Une vraie intrigue, en peu de mots, pour accompagner
les balbutiements en lecture.

** Je lis tout seul.
Une intrigue découpée en chapitres pour pouvoir faire
des pauses dans un texte plus long.

*** Je suis fier de lire.
De vrais petits romans, nourris de vocabulaire et de
structures langagières plus élaborées.

Pascal Brissy est né l'année où l'homme a marché
sur la Lune... Plus tard, lorsqu'il a appris la nouvelle,
il a décidé d'aller y faire un tour. Depuis qu'il invente
et écrit ses histoires, il n'est jamais redescendu!

À la moutarde, aux carottes, aux petits oignons?
Non! Quand l'auteur a demandé à **Guillaume
Trannoy** d'illustrer Hercule Carotte, détective,
il n'était pas question pour lui de faire un lapin
qui puisse finir à la casserole.

Responsable de la collection :
Anne-Sophie Dreyfus
Direction artistique, création graphique
et réalisation : DOUBLE, Paris
© Hatier, 2014, Paris
ISBN : 978-2-218-97784-8
ISSN : 2100-2843
Tous droits de reproduction
et d'adaptation réservés pour tous pays.
Loi n° 49956 du 16 juillet 1949 sur
les publications destinées à la jeunesse.

Hatier s'engage pour
l'environnement en réduisant
l'empreinte carbone de ses livres.
Celle de cet exemplaire est de :
150 g éq. CO_2
PAPIER À BASE DE
FIBRES CERTIFIÉES

Rendez-vous sur
www.hatier-durable.fr

Achevé d'imprimer par Clerc à Saint-Amand-Montrond - France
Dépôt légal n° 97784-8/02 - Décembre 2014

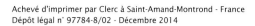

HERCULE CAROTTE, détective

Vol
sur le Nil

écrit par Pascal Brissy
illustré par Guillaume Trannoy

HATIER
POCHE

1
Premier prix

Ah! Les vacances! Hercule
Carotte, le célèbre lapin
détective, est parti en vacances
sur le Nil. Il a gagné le premier
prix d'un jeu sur sa boîte de
céréales aux légumes.

Son adjoint, Eusèbe Télégraf,
l'accompagne. Lui aussi profite
de cette magnifique croisière sur
le fleuve.

Mais tangage et roulis au fil de l'eau font virer le visage d'Eusèbe du vert au gris :

«Par les moustaches de tante Henriette! Je ne me sens pas très bien!» fait le renard, accroché à la rampe de l'imposant bateau.

«La faute aux trois tablettes de chocolat avalées après le déjeuner? interroge Hercule bienveillant. Allez vous reposer dans votre cabine, mon ami!» Gloups! Le renard a un sacré mal au cœur. Il finit par obéir.

Hercule profite de ce moment de solitude pour admirer le paysage. Des mouettes chahutent dans le ciel. Elles survolent les rives du fleuve jalonnées de palmiers.

Au loin, les dunes de sable brillent comme des montagnes de diamants. Soudain, une voix affolée appelle :
«Monsieur Carotte? Monsieur Carotte? Saperlotte de saperlotte!»

Un rhino surgit, essoufflé. C'est
le commandant du bateau :
«On a volé ma casquette!»
explique-t-il aussitôt.
Le détective sort une carotte de
sa réserve personnelle, prêt à
réfléchir :
«Pas de panique! Nous allons
résoudre l'affaire en un tour de
cuillère!»

2
Un peu de silence!

Hercule inspecte le bateau
de long en large. Il examine
les cabines, visite la cuisine,
questionne les navigateurs,
interroge un mousse sur le pont,
mais... RIEN!

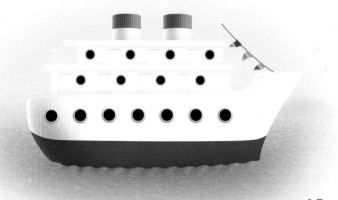

Aucun indice, pas l'ombre d'une piste!

Le lapin entame déjà sa troisième carotte. Il fait les cent pas sur le pont et marmonne :

«Mmm… Qui a intérêt à voler la casquette du commandant?»

Le détective lève les yeux au ciel
pour rouspéter :
« Silence les mouettes! Vous
m'empêchez de me concentrer!»
Puis Hercule balaie l'horizon du
regard. Tout à coup, il s'arrête
net.

Par les moustaches de la célèbre
tante Henriette d'Eusèbe! Que
voit-il? LA CASQUETTE!
Comment est-elle arrivée sur la
tête d'un crocodile?

Le bateau jette l'ancre sans
tarder.
Vite, Hercule et le commandant
Rhino grimpent dans un canot.
L'entreprise est risquée. Ils
doivent récupérer la casquette
sans se faire croquer.

Oh! Oh! ça se confirme, les crocodiles n'aiment pas les visiteurs.

Ils encerclent bientôt le canot d'un air menaçant : miam! Le lapin semble très appétissant et le gros rhino prend l'allure d'un délicieux gigot... Trop tard, on ne peut plus reculer!

Le croco à casquette ouvre la gueule en grand et montre les dents!

3
Tape-croco

Hercule brandit une rame du canot comme un dangereux marteau : BING!
Ni une ni deux, il joue à «tape-croco»!

Les assaillants ont droit à une pluie de bosses sur la tête. Au passage, le commandant Rhino repêche sa casquette : «Pressons, il faut regagner le bateau! s'alarme-t-il. Les crocos risquent de renverser l'embarcation!»

Ouf! Plus de peur que de mal!
Sous les chants incessants des
mouettes, les deux rescapés
grimpent sur le pont avec l'aide
des matelots.
«Grrr! Si je tenais le coupable!
bougonne le commandant Rhino
en rinçant sa casquette trempée.

– "LE" coupable? reprend le détective amusé. Vous faites erreur commandant! Si vous ouvrez les yeux, regardez, nous sommes face à une bande organisée... Autant dire "LES" coupables!»

Au même moment, Eusèbe
Télégraf surgit hors de sa
cabine :
«Ah! J'ai drôlement bien dormi! Je
suis enfin prêt pour une aventure
sur le Nil!»

Le renard prend une grande inspiration. Puis il s'exclame surpris :

« Par les moustaches de tante Henriette ! Quelqu'un a vu mon chapeau ? »

Sous les rires de l'assemblée, l'adjoint d'Hercule termine d'un air boudeur :

« Quoi, j'ai loupé quelque chose ? »

29

Les sept différences

Trouve les sept différences entre les deux images.

Par les moustaches de tante Henriette, sauras-tu retrouver quelle est la bonne silhouette des coupables du vol de la casquette?

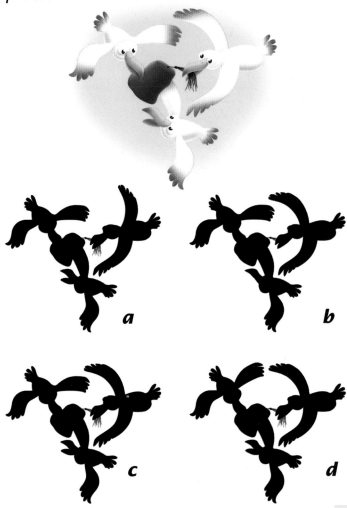

a

b

c

d

HATIER
POCHE

POUR DÉCOUVRIR :

> **des fiches pédagogiques** élaborées par les
enseignants qui ont testé les livres dans leur classe,
> **des jeux** pour les malins et les curieux,
> **les vidéos** des auteurs qui racontent leur histoire,

rendez-vous sur

www.hatierpoche.com

Solutions du jeu